Vocabulary & Gramr

세종 한국어

어휘·표현과 문법

2A

차례

1부

2부

부록

1부

Vocabulary

어휘와 표현

01 어휘와 표현	VOCABULARY	저는 프로그램 만드는 일을 해요
한국어	ENGLISH	예문
교사	teacher	저는 한국어 교사예요.
프로그램	program	저는 한국 회사에서 프로그램을 만들고 싶어요.
굽다	bake	아침에 빵을 구워요.
가르치다	teach	세종학당에서 한국어를 가르쳐요.
헤어 디자이너	hair designer	저는 헤어 디자이너가 되고 싶어요.
프로그래머	programmer	프로그램을 만드는 사람은 프로그래머예요.
제빵사	baker	저는 제빵사예요.
가구	furniture	저는 가구를 만드는 일을 해요.
잃어버리다	lose	자주 잃어버리는 물건이 뭐예요?
반갑다	glad	만나서 반가워요.
베트남어	Vietnamese	저는 베트남어를 가르치는 선생님이에요.
휴게실	lounge	교실 옆에는 쉴 수 있는 휴게실도 있습니다.
즐겁다	joyful	친구들과 한국어를 배우는 것이 아주 즐겁습니다.

02 어휘와 표현	VOCABULARY	등산을 하거나 운동 모임에 가요
한국어	ENGLISH	예문
악기	musical instrument	무슨 악기를 연주할 수 있어요?
연주하다	play	무슨 악기를 연주할 수 있어요?
소설	novel	소설을 읽거나 음악을 들어요.
만화	comics	집에서 드라마를 보거나 만화를 그려요.
배드민턴	badminton	자전거를 타거나 배드민턴을 쳐요.
풍경 사진	landscape photo	주말에 보통 풍경 사진을 찍어요.
운동 모임	exercise group	등산을 하거나 운동 모임에 가요.
스포츠 경기	sports game	영화나 스포츠 경기를 봐요.
휴일	holiday	휴일에 뭐 해요?
돈가스	dongaseu; pork cutlet	돈가스나 불고기를 만들어요.
카레	curry	삼계탕이나 카레를 먹어요.
일기 예보	weather forecast	내일 날씨를 일기 예보에서 봤어요.
글쎄요	well	글쎄요. 잘 모르겠어요.
에스엔에스(SNS)	social networking service	글을 에스엔에스(SNS)에 써 보세요.
심심하다	bored	혼자 취미 생활을 하는 것이 좀 심심해요.
같다	same	저하고 취미가 같은 친구가 있을까요?

03 어휘와 표현	VOCABULARY	요즘 아침마다 회의가 있어요
한국어	ENGLISH	예문
출근하다	go to work	아침 8시에 출근해요.
퇴근하다	leave work	언제 퇴근할 수 있어요?
시험공부	studying for an exam	다음 주에 시험이 있어서 시험공부를 해요.
동아리 활동	club activity	무슨 동아리 활동을 해요?
데이트	date	일요일마다 데이트를 해요.
출퇴근하다	commute	저는 보통 출퇴근할 때 음악을 들어요.
행복하다	happy	언제 행복해요?
끝내다	finish	퇴근하기 전에 회의 준비를 끝내야 해요.
출발하다	depart	출발할 때 전화 주세요.
평일	weekday	저는 주말마다 아르바이트를 해서 평일에만 시간이 있어요.
문자	text message	문자로 모임 약속을 해요.
발표	presentation	발표를 어떻게 준비할까요?
직접	in person, directly	직접 만나서 회의하고 싶어요.

04 어휘와 표현	VOCABULARY	청바지에다가 티셔츠를 입으려고 해요
한국어	ENGLISH	예문
장갑	gloves	추울 때 장갑을 껴요.
넥타이	necktie	회사에 갈 때 넥타이를 해요.
목도리	muffler	목도리를 좀 사려고요.
스카프	scarf	날씨가 추우니까 목에다가 스카프를 하세요.
블라우스	blouse	블라우스에다가 정장 바지를 입어요.
와이셔츠	dress shirt	출근할 때 와이셔츠에다가 넥타이를 해요.
스웨터	sweater	저는 지금 스웨터에다가 청바지를 입었어요.
양말	socks	등산할 때 양말에다가 등산화를 신어요.
정장 바지	suit pants	친구 결혼식이 있어서 정장 바지를 사려고요.
반바지	shorts	운동을 할 때 티셔츠에다가 반바지를 입어요.
원피스	one-piece dress	원피스를 사고 싶어요.
(옷을) 입다	put on (clothes)	내일 회의가 있어요. 뭘 입을까요?
(넥타이를) 하다	put on (a necktie)	회의가 있어서 넥타이를 했어요.
(운동화를) 신다	put on (sneakers)	운동복에다가 등산화를 신으세요.
(장갑을) 끼다	put on (gloves)	장갑을 끼고 목도리를 해요.
(모자를) 쓰다	put on (a hat)	야구 모자를 쓰려고 해요.
여자 친구	girlfriend	오늘 저녁에 여자 친구를 만나기로 했어요.
시내	downtown	주말에 시내에서 놀기로 했어요.
고르다	choose	지금 옷을 고르고 있어요.
소개팅	blind date	요즘에는 소개팅을 할 때 보통 어떤 옷을 입습니까?
중요하다	important	소개팅을 할 때는 무엇이 중요해요?

05 어휘와 표현	VOCABULARY	거실 창문이 커서 경치를 구경하기가 좋아요
한국어	ENGLISH	예문
깨끗하다	clean	공원은 넓고 깨끗해요.
지저분하다	messy	청소를 하지 않아서 방이 지저분해요.
밝다	bright	밝은 집이 좋아요.
어둡다	dark	제 방에는 큰 창문이 있어서 어둡지 않아요.
짐이 적다	have little baggage	짐이 적어서 이사하기 좋아요.
짐이 많다	have a lot of baggage	짐이 많아서 청소하기 안 좋아요.
경치	scenery	경치를 구경하기가 좋아요.
부엌	kitchen	부엌이 넓어서 요리하기가 좋아요.
조용하다	quiet	도서관이 조용해서 책을 읽기가 좋아요.
냉장고	refrigerator	냉장고를 버리고 싶어요.
버리다	throw away	냉장고가 너무 무거워서 혼자 버리지 못해요.
별로	(not) particularly	방이 별로 지저분하지 않아요.
전혀	(not) at all	계란을 전혀 먹지 못해요.
이사	moving house	어제 이사 잘 했어요?
도와주다	help	도와주지 못해서 미안했어요.
새집	new house	새집은 어때요?
거실	living room	거실 창문이 커서 경치를 구경하기가 좋아요.
그렇게	as such	그렇게 좋은 집은 아니에요.
블로그	blog	블로그에 집을 소개하는 글을 썼어요.
아파트	apartment	저는 어제 아파트로 이사를 했어요.

06 어휘와 표현	VOCABULARY	커피를 마시면서 음악을 들어요
한국어	ENGLISH	예문
메뉴	menu	메뉴가 벽에 걸려 있어요.
벽	wall	벽에 액자가 걸려 있어요.
포스터	poster	좋아하는 가수의 포스터를 샀어요.
화분	flowerpot	의자 옆에 화분이 놓여 있어요.
테이블	table	방에 테이블이 있어요.
꽃병	vase	테이블 위에 꽃병이 놓여 있어요.
쿠션	cushion	소파 위에 쿠션이 놓여 있어요.
놓여 있다	placed	책이 테이블 위에 놓여 있어요.
걸려 있다	hang	방 안에 사진이 걸려 있어요.
소파	sofa	방에 소파가 놓여 있어요.
외국어	foreign language	회사에 다니면서 외국어 공부를 해요.
분위기	ambience, atmosphere	이 카페 분위기가 정말 좋아요.
오래	for long	사람이 많지 않아서 오래 있기도 좋아요.
여기저기	here and there	심심할 때는 여기저기 놓여 있는 잡지도 읽고요.

07 어휘와 표현	VOCABULARY	스트레스를 받으면 가슴이 답답해요
한국어	ENGLISH	예문
스트레스를 받다	get stressed	저는 일이 많을 때 스트레스를 받아요.
가슴이 답답하다	feel heavy in the chest	요즘 스트레스를 많이 받아서 가슴이 답답해요.
머리가 복잡하다	have a lot on one's mind	저는 머리가 복잡하면 공원에서 산책해요.
속이 안 좋다	feel sick to one's stomach	밤에 라면을 먹어서 속이 안 좋습니다.
얼굴이 붓다	have a puffy face	지금 제 얼굴 많이 부었죠?
눈이 붓다	have puffy eyes	피곤하면 눈이 부어요.
잠이 안 오다	cannot sleep	저도 요즘 스트레스를 받아서 잠이 안 와요.
얼굴에 뭐가 나다	have facial breakout	스트레스를 받으면 얼굴에 뭐가 나요.
피곤하다	tired	많이 피곤해요?
달다	sweet	단 음식을 먹으면 기분이 좋아요.
배우	actor / actress	좋아하는 배우나 가수를 만나면 뭐 할 거예요?
낫다	get well	약을 먹고 아픈 것이 다 나았어요.
짓다	make, build	이 빌딩은 10년 전에 지었어요.
젓다	stir	우유에 꿀을 넣고 저으세요.
울다	cry	어제 많이 울어서 눈이 부었어요.
강아지	puppy	강아지 이름을 어떻게 지을 거예요?
생강차	ginger tea	생강차를 마시면 감기가 빨리 나을 거예요.
오랜만	after a long time	오랜만에 만나서 이야기를 해요.

이야기	talk	스트레스 이야기를 해요.
자꾸	again and again	자꾸 매운 음식이 먹고 싶어요.
어젯밤	last night	어젯밤에 라면을 먹었어요.
항상	always	시험이 있으면 항상 스트레스를 받습니다.

08 어휘와 표현	VOCABULARY	잠이 안 오면 가벼운 운동을 해 보세요
한국어	ENGLISH	예문
잘 웃다	laugh readily	저는 잘 웃는 사람을 좋아해요.
일찍 자다	go to bed early	일찍 자고 일찍 일어나고 싶어요.
일찍 일어나다	get up early	일찍 자고 일찍 일어나고 싶어요.
골고루	evenly	저는 음식을 골고루 먹어요.
씻다	wash	손을 잘 씻어 보세요.
짜증을 잘 내다	act irritated	저는 짜증을 잘 내요.
늦게	late	저는 매일 늦게 자고 늦게 일어나요.
야식	late-night meal	어제 야식을 많이 먹어서 속이 좀 안 좋아요.
혹시	by any chance	머리가 좀 아픈데 혹시 약이 있어요?
추천하다	recommend	추천하고 싶은 것이 있어요?
가져오다	bring	이거 제가 집에서 가져왔어요.
안 그래도	actually	안 그래도 피곤해서 커피를 마시고 싶었는데 고마워요.
방법	way	뭐 좋은 방법 없을까요?
낮	daytime	잠이 안 오면 낮에 가벼운 운동을 해 보세요.
건강하게	healthily	건강하게 살 수 있을 거예요.
고치다	fix	늦게 자는 습관을 고치고 싶은데 어떻게 하면 될까요?
지각	tardiness	늦게 자서 피곤하고 가끔 지각도 합니다.
움직이다	move	낮에 몸을 많이 움직여 보세요.

09	어휘와 표현	VOCABULARY	그럼 칼국수를 먹는 게 어때요?
한국어		ENGLISH	예문
국		guk; soup	한국에서는 밥과 국을 먹어요.
찌개		jjigae; stew	저는 찌개를 시키려고 해요.
탕		tang; soup	무슨 탕을 좋아해요?
떡국		tteokguk; sliced rice cake soup	1월 1일에 떡국을 먹어요.
미역국		miyeokguk; seaweed soup	한국 사람들은 생일에 미역국을 먹어요.
순두부찌개		sundubujjigae; soft bean curd stew	저는 매운 순두부찌개를 좋아해요.
갈비탕		galbitang; short rib soup	갈비탕을 먹을까요?
면		noodle	저는 면 요리가 먹고 싶어요.
국수		noodle	점심으로 국수를 먹는 게 어때요?
짬뽕		jjamppong; spicy seafood noodle soup	짬뽕은 매운 음식이에요.
짜장면		jajangmyeon; noodles in black bean sauce	저는 짜장면으로 정했어요.
칼국수		kalguksu; noodle soup	칼국수를 먹는 게 어때요?
스파게티		spaghetti	여기 스파게티가 아주 맛있어요.
계산하다		pay	카드로 계산할까요?

현금	cash	현금으로 계산하는 게 어때요?
의미	meaning	이 단어가 어떤 의미예요?
모르다	don't know	저도 잘 몰라요.
물어보다	ask	안나 씨에게 물어보세요.
시키다	order	식당에 전화해서 먹고 싶은 음식을 시키는 게 어때요?
짜다	salty	음식이 너무 짜요.
배달	delivery	집에서 밥을 먹을 때는 배달을 시켜서 먹습니다.
끓이다	boil, cook	된장찌개도 끓이고 떡볶이도 만들 겁니다.

10 어휘와 표현	VOCABULARY	그럼 저 까만 구두는 어때요?
한국어	ENGLISH	예문
색	color	어떤 색을 좋아해요?
모양	shape	어떤 모양의 가방을 사고 싶어요?
하얗다	white	저 하얀 바지 주세요.
까맣다	black	저는 제 까만 머리가 좋아요.
파랗다	blue	파란 바다를 보고 싶어요.
빨갛다	red	저 빨간 장미 주세요.
노랗다	yellow	저 노란 우산 주세요.
단순하다	simple	디자인이 더 단순하면 좋겠어요.
적당하다	appropriate	이 가방은 크기가 적당하고 디자인이 단순해요.
크기	size	크기가 작고 하얀 책상요.
디자인	design	디자인도 단순해서 여기저기에다가 신기 좋을 것 같아요.
장미	rose	장미가 정말 예뻐요.
길이	length	길이가 더 길면 좋겠어요.
에어컨	air conditioner	더우면 에어컨을 켤까요?
켜다	turn on	텔레비전을 켤까요?
열다	open	창문을 좀 열면 좋겠어요.
비슷하다	similar	집에 비슷한 운동화가 있어요.
어울리다	match	정장에 어울리는 신발이 하나 있으면 좋겠어요.
종이	paper	종이가 많이 있어요.
연필	pencil	연필로 쓰세요.
볼펜	ballpoint pen	빨간색 볼펜이 있어요?

다이어리	diary	다이어리를 하나 사고 싶어요.
문방구	stationery store	세종문방구에 예쁜 공책이 많이 있어요.
확인하다	check	물건을 살 때는 무엇을 확인해요?

11 어휘와 표현	VOCABULARY	한국을 여행한 적이 있어요?
한국어	ENGLISH	예문
알아보다	research	서울에서 여행하려고 유명한 여행지를 알아보고 있어요.
여행지	travel destination	서울에서 여행하려고 유명한 여행지를 알아보고 있어요.
숙소	accommodation	유명한 여행지와 좋은 숙소를 알아보고 있어요.
교통편	transportation	교통편을 알아봤어요?
비행기표	airline ticket	비행기표는 예매했어요?
기차표	train ticket	기차표는 예매했어요?
예매하다	make a reservation	기차표는 예매했어요?
엔 서울 타워	N Seoul Tower	엔 서울 타워에 간 적이 있어요.
독일	Germany	독일에서 혼자 여행을 해 보고 싶어요.
설날	Seollal; New Year's Day	이번 설날에는 며칠 쉬어요?
드디어	finally	이번 방학에 드디어 친구와 한국에 가요!
벌써	already	비행기표도 벌써 예매했어요.
세우다	establish	방학 계획 다 세웠어요?
인천공항	Incheon Airport	밤 10시에 인천공항에서 비행기를 탈 거예요.
도착하다	arrive	한국에 도착하는 날은 오후 5시에 인천공항에 도착해요.
홍대	Hongik University	홍대에서 산 옷이 너무 마음에 들어요.
동대문시장	Dongdaemun Market	동대문시장에 간 적이 있어요?
청계천	Cheonggyecheon Stream	청계천과 동대문시장이 가까워요.

광화문	Gwanghwamun Gate	광화문의 야경이 예뻐요.
게스트하우스	guesthouse	숙소는 홍대 게스트하우스로 정했어요.
공항버스	airport bus	공항버스를 타고 홍대로 가요.
춘천	Chuncheon	춘천에 한번 가 보세요.
남이섬	Namiseom Island	남이섬이 있는데 거기에서 드라마나 영화를 많이 찍었어요.
북촌 한옥마을	Bukchon Hanok Village	북촌 한옥마을의 경치가 아름다워요.
국립중앙박물관	National Museum of Korea	국립중앙박물관에서 예쁜 물건을 많이 팔아요.

12 어휘와 표현	VOCABULARY	박물관에서 도장을 만들어 봤어요
한국어	ENGLISH	예문
야경	night view	거기에서 본 야경이 정말 아름다웠어요.
전통 음식	traditional food	한국 전통 음식도 많이 먹어 봤어요?
기념품	souvenir	마리 씨에게 주려고 기념품을 샀어요.
입에 맞다	suit one's taste	음식이 입에 잘 맞았어요.
구경거리	attraction	한국은 구경거리가 많고 음식이 입에 맞아서 좋아요.
번지 점프	bungee jump	번지 점프를 해 봤어요?
친절하다	kind	한국에서 만난 사람들이 모두 친절했어요.
남산	Namsan Mountain	이 사진은 남산에서 찍은 사진이에요.
다행	lucky	다행이에요.
역사	history	한국의 역사를 알 수 있어서 좋았어요.
도장	stamp	박물관에서 도장을 만들어 봤어요.
짜오프라야강	Chao Phraya River	특히 짜오프라야강에서 본 야경이 아주 아름다웠어요.
그동안	meantime	그동안 쇼핑도 하고 맛있는 음식도 많이 먹어 봤어요.
신당동	Shindang-dong	신당동에서 떡볶이를 먹어 봤는데 정말 맛있었어요.
마음에 들다	like	백화점에서 산 옷이 너무 마음에 들어요.
나중	next time	나중에 또 여행 오고 싶어요.

2부

Grammar

문법

(이)라고 하다

의미 MEANING

명사와 결합하여 주로 자신의 이름을 소개할 때 사용한다.

'(이)라고 하다' is combined with a noun and used to introduce someone or something.

형태 FORM

누가 어떤 것을 무엇으로 부를 때 '무엇으로'에 해당하는 말 뒤에 사용한다. 명사 또는 인용하는 표현 뒤에 '(이)라고 하다'를 사용한다.

When we refer to someone or something, we use '(이)라고 하다' at the end of someone or something. We use '(이)라고 하다' for quoted expressions as well.

예문 EXAMPLE

- 주노**라고 해요**.
- 재민**이라고 해요**.
- 수지**라고 해요**.
- 히엔**이라고 해요**.
- 'eraser'를 한국어로 뭐**라고 해요**?
- '지우개'**라고 해요**.
- '니하오(你好).'를 한국어로 뭐**라고 해요**?
- '안녕하세요?'**라고 해요**.

활용 PRACTICE

저는 안나라고 해요.

가 : 이건 한국어로 뭐라고 해요?

나 : 그건 한복이라고 해요.

-는

의미 MEANING

동사와 결합하여 그 동작이나 행위가 현재 일어나고 있음을 나타낸다.

'-는' is combined with a verb indicates that a certain behavior or action is currently taking place.

형태 FORM

'-는' 앞에 오는 동사를 관형사형으로 바꾸어 뒤에 오는 명사를 수식할 때 사용한다. 동사와 결합하며 받침 유무와 상관없이 '-는'을 쓴다.
'ㄹ' 받침 동사는 'ㄹ'이 탈락한다.

'-는' changes a verb into a modifier and makes the verb modify the following noun.
'-는' is used regardless of whether a verb stem ends with a consonant or not. When a verb stem ends with 'ㄹ,' the final consonant 'ㄹ' is dropped.

예문 EXAMPLE

- 좋아하**는** 운동이에요.
- 자주 마시**는** 커피예요.
- 가구를 만드**는** 일을 해요.
- 웃**는** 사람을 좋아해요.
- 제가 자주 듣**는** 음악은 한국 음악이에요.
- 주말에 자주 가**는** 곳은 카페예요.
- 유진 씨가 자주 잃어버리**는** 물건은 우산이에요.
- 마리 씨가 자주 보**는** 영화는 한국 영화예요.

활용 PRACTICE

제가 좋아하는 친구예요. 이름은 안나예요.

제가 공부하는 세종학당이에요.

-거나, (이)나

의미 MEANING

'-거나'는 동사, 형용사와 결합하여, '(이)나'는 명사와 결합하여 둘 이상의 행위나 사실 가운데 하나를 선택함을 나타낸다.

'-거나' is combined with a verb or an adjective while '(이)나' is combined with a noun. Both are used to express that one out of two or more actions or facts has been selected.

형태 FORM

'-거나'는 동사, 형용사와 결합하며 받침 유무와 상관없이 사용한다. '(이)나'는 명사와 결합하며 받침이 있으면 '이나', 받침이 없으면 '나'를 쓴다.

'-거나' is combined with a verb or an adjective regardless of whether the verb stem ends with a consonant or not. '(이)나' is combined with a noun.
'이나' is used when a noun ends with a consonant and '나' is used when a noun ends with a vowel.

예문 EXAMPLE

- 드라마를 보**거나** 게임을 해요.
- 소설을 읽**거나** 악기를 연주해요.
- 주말에는 배드민턴을 치**거나** 스포츠 경기를 봐요.
- 휴일에는 공원에서 산책을 하**거나** 배드민턴을 쳐요.
- 주말에는 게임**이나** 운동을 해요.
- 저는 영화**나** 드라마를 자주 봐요.
- 운동을 한 후에는 우유**나** 물을 마셔요.
- 영화관**이나** 백화점에서 데이트를 해요.

활용 PRACTICE

가 : 휴일에 뭐 해요?
나 : 음식을 만들거나 청소를 해요.

가 : 보통 무슨 음식을 만들어요?
나 : 삼계탕이나 불고기를 만들어요.

-(으)ㄹ까요?

의미 MEANING

알 수 없는 일에 대해 추측하면서 다른 사람의 의견이나 생각을 물어볼 때 사용한다.

'-(으)ㄹ까요?' is used to ask others for their opinions or ideas about something we do not know exactly.

형태 FORM

동사, 형용사와 결합하며, 받침이 있으면 '-을까요?', 받침이 없으면 '-ㄹ까요?'를 사용한다. 'ㄹ' 받침 동사나 형용사는 'ㄹ'이 탈락하고 '-ㄹ까요?'를 사용한다.

'-(으)ㄹ까요?' is combined with a verb or an adjective.
'-을까요?' is used when a verb stem or an adjective stem ends with a consonant and '-ㄹ까요?' is used when it ends with a vowel. When a verb or an adjective stem ends with 'ㄹ,' the final consonant 'ㄹ' is dropped and then '-ㄹ까요?' is used.

예문 EXAMPLE

- 내일 날씨가 추**울까요**?
- 태권도가 안 어려**울까요**?
- 미나 씨가 점심을 먹었**을까요**?
- 저와 취미가 같은 친구가 있**을까요**?
- 점심에 뭘 먹**을까요**?
- 무엇을 준비해야 할**까요**?
- 언제 영화를 **볼까요**?
- 무슨 영화가 재미있**을까요**?

활용 PRACTICE

가 : 내일 같이 등산 가요.
나 : 좋아요. 그런데 내일도 날씨가 맑을까요?

가 : 내일 비가 올까요?
나 : 아니요. 비가 안 와요. 일기 예보에서 봤어요.

마다

의미 MEANING

명사와 결합하여 '예외가 없이 모두 그렇다'는 뜻을 나타내는 조사이다.

'마다' is a postpositional particle attached to a noun, meaning that "all is applicable without exception."

형태 FORM

명사와 결합하며 받침 유무에 관계없이 '마다'를 쓴다. 관용적으로 '밤이면 밤마다', '날이면 날마다'와 같은 표현이 쓰인다.

'마다' is combined with a noun regardless of whether the noun ends with a consonant or not. There are idioms such as '밤이면 밤마다(night after night)' and '날이면 날마다(day after day).'

예문 EXAMPLE

- 토요일**마다** 등산을 해요.
- 목요일**마다** 운동을 해요.
- 일요일**마다** 데이트를 해요.
- 월요일하고 수요일**마다** 수업을 들어요.
- 수요일 오후**마다** 세종학당에 가요.
- 아침**마다** 무엇을 해요?
- 저녁**마다** 아르바이트를 해요.
- 학교에 갈 때**마다** 지하철을 타요.
- 집에 있을 때**마다** 책을 읽어요.

활용 PRACTICE

가 : 수요일에 뭐 해요?

나 : 저는 수요일마다 세종학당에 가요.

-(으)ㄹ 때

의미 MEANING

동사나 형용사와 결합하여 어떤 행위나 상황이 발생한 순간이나 지속되는 동안을 의미한다.

'-(으)ㄹ 때' is combined with a verb or an adjective, indicating the moment when an action or situation occurs or its duration.

형태 FORM

동사, 형용사와 결합하며 받침이 있으면 '-을 때', 받침이 없으면 '-ㄹ 때'를 사용한다. 'ㄹ' 받침 동사나 형용사는 'ㄹ'이 탈락하고 '-ㄹ 때'를 사용한다.

'-(으)ㄹ 때' is combined with a verb or an adjective. '-을 때' is used when a verb stem or an adjective stem ends with a consonant, and '-ㄹ 때' when it ends with a vowel. When a verb or an adjective stem ends with 'ㄹ,' the final consonant 'ㄹ' is dropped and then '-ㄹ 때' is used.

예문 EXAMPLE

- 회사에 **갈 때** 정장을 입어요.
- 시간이 있**을 때** 운동을 해요.
- 학교에 늦었**을 때** 택시를 타요.
- 맛있는 음식을 먹**을 때** 제일 행복해요.
- 산책하고 싶**을 때** 공원에 가요.
- 옷을 사고 싶**을 때** 백화점에 가요.
- 커피를 마시고 싶**을 때** 카페에 가요.
- 친구와 노래하고 싶**을 때** 노래방에 가요.

활용 PRACTICE

가 : 언제 음악을 들어요?

나 : 저는 보통 출퇴근할 때 음악을 들어요.

-기로 하다

의미 MEANING

동사와 함께 쓰여서 어떤 행동을 계획하거나 결정했음을 의미한다. 보통 대화 상대에게 어떤 행동을 약속할 때 또는 자신이 결심한 것을 이야기할 때 사용한다.

'-기로 하다' is combined with a verb, indicating that a certain action has been planned or decided. It is usually used to promise a certain action or to talk about one's decision.

형태 FORM

이미 결정한 것을 이야기하면서 사용될 때는 미래의 일일지라도 과거형으로 쓴다.

When we talk about what has already been decided, we use the past tense even if the relevant event will occur in the future.

예문 EXAMPLE

- 데이트를 하**기로 했어요**.
- 5시에 회사 앞에서 만나**기로 했어요**.
- 친구하고 같이 밥을 먹**기로 했어요**.
- 주말에 시내에서 놀**기로 했어요**.
- 친구하고 차를 마시고 영화를 보**기로 했어요**.
- 친구하고 쇼핑하**기로 했어요**.
- 마리 씨하고 점심을 먹**기로 했어요**.
- 친구하고 공원에서 운동을 하**기로 했어요**.
- 동생하고 영화를 보**기로 했어요**.
- 안나 씨하고 여행을 가**기로 했어요**.

활용 PRACTICE

가 : 와, 옷이 멋있어요.

나 : 고마워요. 오늘 저녁에 여자 친구를 만나기로 했어요.

에다가

의미 MEANING

명사와 함께 쓰여서 앞의 명사에 뒤에 오는 명사가 더해짐을 의미한다.

'에다가' is used with a noun, indicating that the following noun is added to the preceding noun.

형태 FORM

'에다가' 대신 '에' 혹은 '에다'를 사용할 수도 있다. '에다가'와 그 축약형인 '에다'는 '에'와 다르게 주로 구어에서 사용된다. 명사와 결합하며 받침 유무에 관계없이 '에다가'를 쓴다.

'에' or '에다' can be used instead of '에다가.'
'에다가' and its contracted form '에다' are mainly used in spoken language, unlike '에.'
'에다가' is combined with a noun regardless of whether the noun ends with a consonant or not.

예문 EXAMPLE

- 바지**에다가** 블라우스를 입었어요.
- 반바지**에다가** 티셔츠를 입으세요.
- 스웨터**에다가** 장갑을 끼고 목도리를 해요.
- 와이셔츠하고 청바지**에다가** 운동화를 신어요.
- 목**에다가** 목도리를 했어요.
- 원피스**에다가** 스카프를 하세요.
- 종이**에다가** 전화번호를 쓰세요.
- 김치찌개**에다가** 돼지고기를 넣을 거예요.

활용 PRACTICE

가 : 내일 회의가 있어요. 뭘 입을까요?
나 : 정장에다가 구두를 신으세요.

가 : 이 찌개가 너무 짜요.
나 : 찌개에다가 물을 좀 넣으세요.

-기가 좋다

의미 MEANING

동사와 함께 쓰여서 어떤 행동을 하는 것이 쉽고 편함을 의미한다.

'-기가 좋다' is used with a verb, indicating that it is easy and comfortable to do a certain action.

형태 FORM

동사와 결합하며 받침 유무에 관계없이 '-기가 좋다'의 형태로 결합한다. '-기가 좋다'는 '가'를 생략한 형태인 '-기 좋다'로도 사용된다.

'-기가 좋다' is combined with a verb regardless of whether the verb stem ends with a consonant or not. Instead of '-기가 좋다,' '-기 좋다' is also used without '가.'

예문 EXAMPLE

- 부엌이 넓어서 요리하**기 좋아요**.
- 도서관이 조용해서 책을 읽**기 좋았어요**.
- 봄에는 날씨가 따뜻해서 산책하**기가 좋아요**.
- 이 바지는 시원해서 여름에 입**기 좋을 거예요**.
- 이 책은 쉽고 재미있어서 아이들에게 선물하**기 좋아요**.
- 짐이 많아서 청소하**기 안 좋아요**.
- 새집은 회사하고 멀어서 출퇴근하**기 안 좋아요**.
- 어제 날씨가 너무 추워서 산책하**기 안 좋았어요**.

활용 PRACTICE

가 : 와, 창문이 정말 커요.

나 : 네. 그래서 경치를 구경하기가 좋아요.

가 : 와, 길이 정말 좁아요.

나 : 네. 그래서 산책하기 안 좋아요.

-지 않다, -지 못하다

의미 MEANING

'-지 않다'는 보통 동사와 결합할 경우 행위를 할 의지가 없음을 나타내며, 형용사와 결합할 경우 어떤 상태가 아님을 의미한다. '-지 못하다'는 동사와만 결합해서 사용되며, 어떤 일을 할 능력이나 여건이 되지 않음을 의미한다.

When '-지 않다' is combined with a verb, it means that someone or something (the subject) does not have the will to do something. When combined with an adjective, it means that someone or something (the subject) is not in a particular condition. '-지 못하다' is combined only with a verb and indicates that someone or something is unable to do something.

형태 FORM

동사 및 형용사와 결합하며 받침 유무에 관계없이 '-지 않다'를 쓴다. '- 지 못하다'의 경우 동사와 결합하며 받침 유무에 관계없이 '-지 못하다'를 쓴다.

'-지 않다' is combined with a verb or an adjective regardless of whether the verb stem or the adjective stem ends with a consonant or not. '-지 못하다' is combined with a verb regardless of whether the verb stem ends with a consonant or not.

예문 EXAMPLE

- 산책을 자주 하**지 않아요**.
- 음악을 자주 듣**지 않아요**.
- 제 방에는 큰 창문이 있어서 어둡**지 않아요**.
- 안나 씨는 매일 청소를 해서 방이 별로 지저분하**지 않아요**.
- 방이 좁아서 친구를 많이 초대하**지 못해요**.
- 냉장고가 너무 무거워서 혼자 버리**지 못해요**.
- 저는 고기를 싫어해서 전혀 먹**지 않아요**.
- 계란을 먹을 때마다 배가 아파요. 그래서 저는 계란을 먹**지 못해요**.

활용 PRACTICE

저는 청소하는 것을 싫어해요. 그래서 청소를 하지 않아요.

일이 많아서 시간이 없어요. 그래서 청소를 하지 못해요.

-(으)면서

의미 MEANING

두 가지 이상의 행동을 동시에 하고 있음을 나타낸다.

'-(으)면서' is combined with a verb, indicating that two or more actions are being performed at the same time.

형태 FORM

동사와 결합하며 받침이 있으면 '-으면서', 받침이 없으면 '-면서'를 쓴다. 'ㄹ' 받침 동사는 '-면서'를 쓴다.

'-(으)면서' is combined with a verb. '-으면서' is used when a verb stem ends with a consonant, and '-면서' when a verb stem ends with a vowel. When a verb stem ends with 'ㄹ', '-면서' is used.

예문 EXAMPLE

- 음악을 들**으면서** 공부해요.
- 친구가 기타를 치**면서** 노래해요.
- 친구하고 이야기하**면서** 산책해요.
- 저는 밥을 먹**으면서** 텔레비전을 봐요.
- 친구들과 게임을 하**면서** 놀고 있어요.
- 여행을 다니**면서** 사진을 찍어요.
- 한국 드라마를 보**면서** 한국어를 배워요.
- 아르바이트를 하**면서** 대학교에 다녀요.
- 회사에 다니**면서** 저녁에는 한국어를 공부해요.

활용 PRACTICE

가 : 민호 씨, 지금 뭐 하고 있어요?

나 : 저는 지금 커피를 마시면서 책을 읽고 있어요.

가 : 민호 씨, 요즘 뭐 해요?

나 : 저는 요즘 세종학당에 다니면서 한국어를 공부하고 있어요.

-지요?

의미 MEANING

화자가 이미 알고 있는 사실을 청자에게 재확인하며 질문하고 있음을 의미하는 종결어미다.

'-지요?' is used as a sentence closing ending, indicating that the speaker reconfirms what he / she already knows.

형태 FORM

동사, 형용사와 결합하며 받침 유무와 상관없이 '-지요?'를 쓴다.

'-지요?' is combined with a verb or an adjective regardless of whether the verb stem or the adjective stem ends with a consonant or not.

예문 EXAMPLE

- 저 사람 너무 멋있**지요**?
- 이 노래가 정말 좋**지요**?
- 한국 여름은 아주 덥**지요**?
- 안나 씨는 회사원이**지요**?
- 오늘 비가 정말 많이 오**지요**?
- 우리 토요일에 만나기로 했**지요**?
- 한국 사람들은 모두 매운 음식을 잘 먹**지요**?
- 민호 씨는 이번 주말에 한국어 시험을 볼 거**지요**?

활용 PRACTICE

오늘 날씨가 정말 따뜻하지요?

주노 씨는 한국 드라마를 좋아하지요?

-(으)면

의미 MEANING

동사, 형용사와 결합하며 뒤 절의 내용이 일어나기 위한 근거나 상황에 대한 조건, 확실하지 않거나 아직 이루어지지 않은 사실을 가정하여 말할 때 사용한다.

'-(으)면' is combined with a verb or an adjective. It is used to suppose the condition for the basis or the situation for something mentioned in the second clause to occur. It is also used to suppose a fact that is not certain or yet realized.

형태 FORM

동사, 형용사와 결합하며 받침이 있으면 '-으면', 받침이 없으면 '-면'을 쓴다. 'ㄹ' 받침 동사나 형용사는 '-면'으로 쓴다.

'-으면' is used when a verb stem or an adjective stem ends with a consonant, and '-면' when it ends with a vowel. When a verb stem or an adjective stem ends with 'ㄹ,' '-면' is used.

예문 EXAMPLE

- 단 음식을 먹**으면** 기분이 좋아요.
- 저는 머리가 아프**면** 자요.
- 추우**면** 옷을 많이 입으세요.
- 시간이 있**으면** 여행 가고 싶어요.
- 한국에 가**면** 한국 음식을 먹을 거예요.
- 좋아하는 배우나 가수를 만나**면** 같이 사진을 찍을 거예요.
- 돈이 많**으면** 큰 집을 살 거예요.
- 남자 친구를 만나**면** 영화를 볼 거예요.

활용 PRACTICE

가 : 주말에 보통 뭐 해요?

나 : 날씨가 좋으면 산에 가요.

(나 : 날씨가 안 좋으면 집에서 쉬어요.)

ㅅ 불규칙

의미 MEANING

받침 'ㅅ'으로 끝나는 동사, 형용사 중 '붓다', '젓다', '짓다', '낫다' 등 일부는 모음으로 시작하는 어미와 결합할 때 '부어요', '나아요'와 같이 'ㅅ'이 탈락하는데, 이를 'ㅅ 불규칙'이라고 한다. 단, '씻다, 웃다, 벗다' 등은 다른 동사와 마찬가지로 규칙활용을 한다.

When a verb stem or an adjective stem that ends with 'ㅅ,' such as '붓다', '젓다', '짓다', '낫다,' is combined with a sentence ending starting with a vowel, the final consonant 'ㅅ' is omitted. For example, '붓다' and '낫다' are changed to '부어요' and '나아요.' This is called 'ㅅ irregular conjugation.' However, some verbs such as '씻다, 웃다, 벗다' are conjugated regularly, just like other verbs.

형태 FORM

'붓다', '젓다', '짓다', '낫다'와 같이 받침 'ㅅ'으로 끝나는 일부 동사, 형용사는 '-아요/어요', '-(으)면' 등 모음으로 시작하는 어미와 결합할 때 받침 'ㅅ'이 탈락한다.

For some verb stems and adjective stems ending with 'ㅅ,' such as '붓다', '젓다', '짓다', '낫다,' the final consonant 'ㅅ' is omitted when they are combined with an ending or connector starting with a vowel, such as '-아요/어요' and '-(으)면.'

예문 EXAMPLE

- 약을 먹고 아픈 것이 다 **나았어요**.
- 이 빌딩은 10년 전에 **지었어요**.
- 우유에 꿀을 넣고 **저었어요**.
- 어제 많이 울어서 눈이 **부었어요**.
- 고양이 이름을 나비라고 **지을 거예요**.
- 생강차를 마시면 감기가 빨리 **나을 거예요**.

활용 PRACTICE

얼굴이 많이 부었어요.

-는데/(으)ㄴ데

의미 MEANING

동사나 형용사, '이다, 아니다'에 붙어 뒤 절의 사실에 대해 앞 절에 배경이나 관련 상황을 나타낼 때 사용한다. 또 뒤 절에서 무언가를 질문하거나 시키거나 제안하기에 앞서 관련 배경이나 상황을 설명할 때 사용한다.

'-는데/(으)ㄴ데' is combined with a verb, an adjective, '이다' or '아니다,' presenting the background or related situation about the fact stated in the following clause. It is also used to explain the related background or situation before asking or suggesting something in the second clause.

형태 FORM

동사의 경우 받침 유무와 상관없이 '-는데'를 쓰고 'ㄹ' 받침 동사는 'ㄹ'이 탈락한다. 형용사의 경우 받침이 있으면 '-은데', 받침이 없으면 '-ㄴ데', '있다', '없다'는 '-는데'를 쓴다. 'ㄹ' 받침 형용사의 경우 'ㄹ'이 탈락하고 '-ㄴ데'로 쓴다. '명사+이다', '명사+이/가 아니다'는 '-ㄴ데'를 쓴다.

When '-는데' is combined with a verb, it is used regardless of whether the verb stem ends with a consonant or not. When a verb stem ends with 'ㄹ,' the final consonant 'ㄹ' is dropped. '-은데' is used when an adjective stem ends with a consonant, and '-ㄴ데' when an adjective stem ends with a vowel. In case of '있다,' '없다,' '-는데' is used. When an adjective stem ends with 'ㄹ,' the final consonant 'ㄹ' is dropped and then '-ㄴ데' is used. In case of 'a noun+이다' and 'a noun+이/가 아니다,' '-ㄴ데' is used.

예문 EXAMPLE

- 요즘 한국어를 공부하**는데** 아주 재미있어요.
- 비가 오**는데** 택시를 탈까요?
- 심심**한데** 영화 볼까요?
- 날씨가 좋**은데** 산에 갈까요?
- 공부를 하**는데** 친구가 왔어요.
- 요즘 요리를 배우고 있**는데** 재미있어요.
- 어제 영화를 봤**는데** 영화가 무서웠어요.
- 세종학당에 가**는데** 비가 왔어요.

활용 PRACTICE

머리가 좀 아픈데 혹시 약이 있어요?

-아/어 보다

의미 MEANING

동사에 붙어 상대가 경험하지 않은 어떤 일에 대해 권유하거나 조언하는 말을 할 때 주로 사용한다.

'-아/어 보다' is combined with a verb, recommending or providing advice on something that the other person has not experienced.

형태 FORM

동사와 결합하며 동사의 모음이 'ㅏ, ㅗ'면 '-아 보다', 그 외 모음이면 '-어 보다'를 쓴다. '하다'는 '-해 보다'로 쓴다.

'-아 보다' is used when the final vowel of a verb stem is 'ㅏ' or 'ㅗ,' otherwise '-어 보다' is used. '하다' is changed to '-해 보다.'

예문 EXAMPLE

- 이 책이 정말 재미있는데 한번 읽**어 보세요**.
- 가슴이 답답하면 산책을 **해 보세요**.
- 이 옷이 멋있는데 한번 입**어 보세요**.
- 이 노래 아주 좋은데 한번 들**어 보세요**.
- 저 모자가 예쁜데 한번 **써 보세요**.
- 불고기가 맛있는데 한번 먹**어 보세요**.
- 한국 소설이 재미있는데 한번 읽**어 보세요**.
- 하나식당이 가까운데 한번 **가 보세요**.
- 티셔츠가 예쁜데 한번 입**어 보세요**.

활용 PRACTICE

가 : 비빔밥이 맛있는 식당 알아요?

나 : 하나식당 비빔밥이 맛있는데 한번 가 보세요.

-는/(으)ㄴ/(으)ㄹ 것 같다

의미 MEANING

동사나 형용사, '이다, 아니다'와 함께 사용되어, 말하는 사람이 어떤 일에 대해 추측함을 뜻한다.

'-는/(으)ㄴ/(으)ㄹ 것 같다' is used with a verb, an adjective, '이다' or '아니다,' indicating that the speaker supposes something.

형태 FORM

'-는/(으)ㄴ/(으)ㄹ 것 같다'는 동사, 형용사와 결합하며, 미래 시제일 경우 받침이 있으면 '-을 것 같다', 받침이 없으면 '-ㄹ 것 같다'를 쓴다. 'ㄹ' 받침 동사나 형용사는 'ㄹ'이 탈락하고 '-ㄹ 것 같다'를 쓴다. 현재 시제는 동사의 경우 받침 유무와 상관없이 '-는 것 같다'를 쓰고, 'ㄹ' 받침 동사는 'ㄹ'이 탈락한다. 형용사의 경우 받침이 있으면 '-은 것 같다', 받침이 없으면 '-ㄴ 것 같다'를 쓴다. 'ㄹ' 받침 형용사는 'ㄹ'이 탈락하고 '-ㄴ 것 같다'를 쓴다. 과거 시제는 동사의 경우 받침이 있으면 '-은 것 같다', 받침이 없으면 '-ㄴ 것 같다'를 쓴다. 'ㄹ' 받침 동사는 'ㄹ'이 탈락하고 '-ㄴ 것 같다'를 쓴다.

'-는/(으)ㄴ/(으)ㄹ 것 같다' is combined with a verb or an adjective. For the future tense, '-을 것 같다' is used when a verb stem or an adjective stem ends with a consonant, otherwise '-ㄹ 것 같다' is used. When a verb or an adjective stem ends with 'ㄹ,' the final consonant 'ㄹ' is dropped and then '-ㄹ 것 같다' is used. For the present tense verbs, '-는 것 같다' is used regardless of whether the verb stem ends with a consonant or not. When an adjective stem ends with 'ㄹ,' the final consonant 'ㄹ' is dropped and then '-ㄴ 것 같다' is used.For the present tense adjectives, '-은 것 같다' is used when the adjective stem ends with a consonant, and '-ㄴ 것 같다' is used when the adjective stem ends with a vowel. For the past tense verbs, '-은 것 같다' is used when the verb stem ends with a consonant, and '-ㄴ 것 같다' when the verb stem ends with a vowel. When a verb stem ends with 'ㄹ,' the final consonant 'ㄹ' is dropped and then '-ㄴ 것 같다' is used.

예문 EXAMPLE

- 이 가방은 좀 비**싼 것 같아요.**
- 이 영화가 재미있**을 것 같아요.**
- 저 사람은 미나 씨 친구**인 것 같아요.**
- 지금 밖에 비가 오**는 것 같아요.**
- 어제 저녁에 비가 **온 것 같아요.**
- 내일 아침에 비가 **올 것 같아요.**

활용 PRACTICE

가: 이 케이크를 먹을까요?
나: 네. 정말 맛있을 것 같아요.

가: 이 케이크를 살까요?
나: 네. 마리 씨가 좋아할 것 같아요.

-는 게 어때요?

의미 MEANING

동사와 결합하여 청자에게 어떤 행동을 권유하는 의미를 나타낸다.

'-는 게 어때요?' is combined with a verb, making a suggestion to the listener.

형태 FORM

동사와 결합하며 받침 유무와 상관없이 '-는 게 어때요?'를 쓴다. 'ㄹ' 받침 동사는 'ㄹ'이 탈락한다.

'-는 게 어때요?' is combined with a verb regardless of whether the verb stem ends with a consonant or not. When a verb stem ends with 'ㄹ,' the final consonant 'ㄹ' is dropped.

예문 EXAMPLE

- 우리 집에서 같이 밥을 먹**는 게 어때요**?
- 인터넷으로 피자를 주문하**는 게 어때요**?
- 시간이 없으니까 빵과 우유를 먹**는 게 어때요**?
- 식당에 전화해서 먹고 싶은 음식을 시키**는 게 어때요**?
- 배가 고파요. 식당에 가**는 게 어때요**?
- 음식이 너무 짜요. 물을 좀 넣**는 게 어때요**?
- 심심해요. 우리 한국 드라마를 보**는 게 어때요**?
- 민수 씨는 오늘 일을 너무 많이 했어요. 좀 쉬**는 게 어때요**?

활용 PRACTICE

가: 오늘 너무 피곤해서 요리를 하고 싶지 않아요.

나: 그럼 식당에서 저녁을 먹는 게 어때요?

ㅎ 불규칙

의미 MEANING

받침 'ㅎ'으로 끝나는 형용사가 모음으로 시작하는 어미와 결합할 때 규칙활용을 하지 않는다. '하얗다', '까맣다', '파랗다', '빨갛다', '노랗다', '어떻다', '그렇다' 등 받침이 'ㅎ'인 형용사 어간에 모음으로 시작하는 어미가 결합하면 'ㅎ'이 탈락한 후 '-아/어'가 '-애/얘'로 바뀐다.

An adjective stem ending with 'ㅎ' does not follow regular conjugation rules when it is combined with a sentence ending vowel. When an adjective stem ending with 'ㅎ,' such as '하얗다,' '까맣다,' '파랗다,' '빨갛다,' '노랗다,' '어떻다,' '그렇다' is combined with a word starting with a vowel, the final consonant 'ㅎ' is omitted, and '-아/어' is changed into '-애/얘.'

형태 FORM

'-(으)면', '-(으)니까' 등 '으'로 시작하는 어미와 결합할 때는 받침 'ㅎ'이 탈락하고, '아'나 '어'로 시작하는 어미와 만나면 'ㅎ'이 탈락한 후 '-아/어'가 '-애/얘'로 바뀐다.

When an adjective stem ending with 'ㅎ' is combined with a conjunctive ending starting with '으,' such as '-(으)면', '-(으)니까,' the final consonant 'ㅎ' is omitted, and when an adjective stem is combined with '아' or '어,' the final consonant 'ㅎ' is omitted and then '-아/어' is changed to '-애/얘.'

예문 EXAMPLE

- 저 **노란** 우산 주세요.
- 저 **빨간** 장미 주세요.
- **파란** 바다를 보고 싶어요.
- 저는 제 **까만** 머리가 좋아요.
- 사과가 **빨개**요.
- 가을 하늘이 **파래**요.
- 마리 씨 구두가 **까매**요.
- 가을 단풍이 빨갛고 **노래**요.

활용 PRACTICE

가 : 뭘 드릴까요?

나 : 저 하얀 바지 주세요.

-(으)면 좋겠다

의미 MEANING

동사나 형용사와 결합하여 바라거나 희망하는 것을 이야기할 때 사용한다.

'-(으)면 좋겠다' is combined with a verb or an adjective, expressing a wish or a hope.

형태 FORM

동사, 형용사와 결합하며 받침이 있으면 '-으면 좋겠어요', 받침이 없거나 'ㄹ' 받침이면 '-면 좋겠어요'로 쓴다.

'-으면 좋겠어요' is used when a verb stem or an adjective stem ends with a consonant. '-면 좋겠어요' is used when a verb stem or an adjective stem ends with a vowel or 'ㄹ.'

예문 EXAMPLE

- 가격이 좀 더 싸**면 좋겠어요**.
- 길이가 더 길**면 좋겠어요**.
- 디자인이 더 단순하**면 좋겠어요**.
- 빨리 점심을 먹**으면 좋겠어요**.
- 학교에서 좀 더 가까**우면 좋겠어요**.
- 창문을 좀 열**면 좋겠어요**.
- 음악을 좀 들**으면 좋겠어요**.
- 구두를 사**면 좋겠어요**.

활용 PRACTICE

가 : 이 옷은 어때요?

나 : 작을 것 같아요. 사이즈가 좀 더 크면 좋겠어요.

-(으)ㄴ 적이 있다

의미 MEANING

동사와 결합하여 과거의 사건이나 경험을 이야기할 때 사용한다.

'-(으)ㄴ 적이 있다' is combined with a verb, expressing an event or experience that occurred in the past.

형태 FORM

동사와 결합하며 받침이 있으면 '-은 적이 있다', 받침이 없으면 '-ㄴ 적이 있다.'로 쓴다. 'ㄹ' 받침 동사는 'ㄹ'이 탈락하고 '-ㄴ 적이 있다'로 쓴다.

'-은 적이 있다' is used when a verb stem ends with a consonant and '-ㄴ 적이 있다' when a verb stem ends with a vowel. When a verb stem ends with 'ㄹ,' the final consonant 'ㄹ' is dropped and then '-ㄴ 적이 있다' is used.

예문 EXAMPLE

- 엔 서울 타워에 **간 적이 있어요**.
- 한국에서 불고기를 먹**은 적이 있어요**.
- 외국에서 **산 적이 있어요**.
- 이 가수의 음악을 들**은 적이 있어요**.
- 혼자 여행을 **한 적이 있어요**.
- 한국 음식을 만**든 적이 있어요**.
- 아르바이트를 **한 적이 있어요**.
- 지갑을 잃어버**린 적이 있어요**.

활용 PRACTICE

가 : 와, 제가 가장 좋아하는 한국 배우예요.

나 : 이 사람 한국에서 본 적이 있어요.

동안

의미 MEANING

명사와 결합하여 어떤 일이 계속되는 시간이나 기간을 나타낸다.

'동안' comes after a noun, indicating the time or period during which something continues.

형태 FORM

명사와 결합하며 받침 유무와 상관없이 '동안'을 쓴다.

'동안' is used regardless of whether a noun ends with a consonant or not.

예문 EXAMPLE

- 오늘 3시간 **동안** 운동했어요.
- 2시간 **동안** 집을 청소했어요.
- 5일 **동안** 한국을 여행했어요.
- 10주 **동안** 한국어를 공부했어요.
- 휴가 **동안** 수영을 배울 거예요.
- 2시간 **동안** 친구를 기다린 적이 있어요.
- 8시간 **동안** 물만 마신 적이 있어요.
- 3일 **동안** 안 잔 적이 있어요.
- 5시간 **동안** 컴퓨터 게임을 한 적이 있어요.
- 4시간 **동안** 자전거를 탄 적이 있어요.

활용 PRACTICE

가: 이번 설날에는 며칠 쉬어요?

나: 20일부터 22일까지 3일 동안 쉬어요.

-아/어 보다

의미 MEANING

동사와 결합하여 경험한 일이나 시도해 본 일을 나타낼 때 사용한다. 여행이나 취미 같이 어떤 특별한 경험에 대해 말할 때 주로 사용한다.

'-아/어 보다' is combined with a verb, indicating something that has been experienced or tried. It is mainly used to refer to particular experiences such as travel or hobbies.

형태 FORM

동사와 결합하며 모음이 'ㅏ'나 'ㅗ'면 '-아 보다', 그 외 모음이면 '-어 보다'를 쓴다. '하다'는 '-해 보다'로 쓴다.

'-아 보다' is used when the final vowel of a verb stem is 'ㅏ' or 'ㅗ,' otherwise '-어 보다' is used. '하다' is changed to '-해 보다.'

예문 EXAMPLE

- 바다에서 수영**해 봤어요**.
- 한국에서 떡국을 먹**어 봤어요**.
- 한국 가수의 노래를 들**어 봤어요**.
- 좋아하는 배우에게 편지를 **써 봤어요**.
- 케이크를 만들**어 봤어요**.
- 아르바이트를 **해 봤어요**.
- 한국어를 가르**쳐 봤어요**.
- 번지 점프를 **해 봤어요**.
- 한국 책을 읽**어 봤어요**.
- 불고기를 먹**어 봤어요**.

활용 PRACTICE

가 : 한국 여행 가서 뭐 했어요?

나 : 서울에서 박물관에 가 봤어요.

-(으)ㄴ

의미 MEANING

동사와 결합하여 그 동작이나 행위가 과거에 일어났거나 완료된 행위가 유지되고 있음을 나타낸다. 앞에 오는 동사를 관형사형으로 바꾸어 뒤에 오는 명사를 수식할 때 사용한다.

'-(으)ㄴ' is combined with a verb, indicating that an action or behavior has occurred in the past or a completed action has been continued. It is used to modify the following noun by changing the ending of a verb to a noun modifier form.

형태 FORM

동사와 결합하며 받침이 있으면 '-은', 받침이 없으면 '-ㄴ'을 쓴다. 'ㄹ' 받침 동사는 'ㄹ'이 탈락하고 '-ㄴ'을 쓴다.

'-은' is used when a verb stem ends with a consonant, and '-ㄴ' is used when a verb stem ends with a vowel. When a verb stem ends with 'ㄹ,' the final consonant 'ㄹ' is dropped and then '-ㄴ' is used.

예문 EXAMPLE

- 어제 먹**은** 불고기가 정말 맛있었어요.
- 어제 **본** 한국 드라마가 재미있었어요.
- 남산에서 찍**은** 사진이에요.
- 아침에 들**은** 노래는 한국 노래예요.
- 지난 토요일에 만**난** 사람은 재민 씨예요.
- 주말에 **한** 운동은 테니스예요.
- 어제 **본** 드라마는 한국 드라마예요.
- 지난주에 만**든** 음식은 비빔밥이에요.

활용 PRACTICE

가 : 여행하면서 한국 사람들을 많이 만났어요? 어땠어요?

나 : 네. 한국에서 만난 사람들이 모두 친절했어요.

부록

색인 1

Index
(in Korean alphabetical order)

2A

1부. 어휘와 표현

2부. 문법

색인 2

Index
(in English alphabetical order)

2A

※ 이 교재는 산돌폰트 외 Ryu 고운한글돋움OTF, Ryu 고운한글바탕OTF 등을 사용하여 제작되었습니다. Ryu 고운한글돋움OTF, Ryu 고운한글바탕OTF 서체는 서체 디자이너 류양희 님에게서 제공 받았습니다.

세종한국어 | 어휘·표현과 문법 2A

기획	국립국어원	박미영	학예연구사
	국립국어원	조 은	학예연구사
집필	책임 집필	이정희	경희대학교 국제교육원 교수
	공동 집필	이수미	성균관대학교 학부대학 대우교수
		한윤정	경희대학교 K-컬처·스토리콘텐츠연구소 연구교수
		신범숙	서울대학교 언어교육원 대우전임강사
		민유미	서울대학교 언어교육원 대우전임강사
		윤세윤	경희대학교 국제교육원 객원교수
	집필 보조	김연희	경희대학교 국어국문학과 박사수료
		홍세화	경희대학교 국어국문학과 박사과정
		정성호	경희대학교 국어국문학과 박사수료
		서유리	경희대학교 국어국문학과 박사과정
	번역 감수	변우영	오하이오주립대학교 동아시아어문학과 부교수

발행 국립국어원
주소: (07511) 서울특별시 강서구 금낭화로 154
전화: +82 (0)2-2669-9775 전송: +82 (0)2-2669-9727
누리집: www.korean.go.kr

초판 1쇄 발행 2022년 9월 1일
초판 2쇄 발행 2024년 5월 3일

편집 • 제작 공앤박 주식회사
주소: (05116) 서울특별시 광진구 광나루로56길 85, 프라임센터 3411호
전화: +82 (0)2-565-1531 전송: +82 (0)2-6499-1801
누리집: www.kongnpark.com / www.BooksOnKorea.com (구매)

총괄	공경용
편집	이유진, 김세훈, 이진덕, 여인영, 김령희, 성수정, 최은정, 함소연
영문 편집	Sung A. Jung, Paulina Zolta, Kassandra Lefrancois-Brossard
디자인	오진경, 서은아, 이종우, 이승희
삽화	강승희, 곽명주, 박가을, 이재영, 정원교
관리·제작	공일석, 최진호
IT 자료	손대철
마케팅	윤성호

ISBN 978-89-97134-40-3 (14710)
ISBN 978-89-97134-21-2 (세트)